*F*orce, vitalité [...]
inébranlable, vo[...]
rayonnante. Vou[...]
le rapport avec l[...]
Sachez que tous ces éléments sont étroitement
liés. Les six séances de gymnastique que nous
vous proposons ici sont toniques, rafraîchissantes
et harmonisantes ; elles renforcent le corps,
le mental et l'esprit, elles révèlent et amplifient
votre richesse intérieure. Choisissez parmi
les programmes de 10, 20 et 30 minutes celui
qui vous convient le mieux, et commencez
dès aujourd'hui.

Sommaire

Six programmes pour allier
forme et bien-être

10 Minutes pour les pressées 12

20 Minutes pour les **battantes** 26

30 Minutes pour les **jouisseuses** 38

Six programmes pour allier forme et bien-être

*É*tes-vous pressée, voire hyperpressée, le matin ? Avez-vous tout simplement envie de bien démarrer la journée, ou souhaitez-vous vous adonner pleinement au plaisir de faire de l'exercice ? Quel que soit votre cas, vous avez pioché le bon ouvrage. Je vous propose en effet six programmes sur mesure, adaptés aux besoins de chacune d'entre vous et au temps dont vous disposez. J'ai également veillé à varier les plaisirs : vous ferez tantôt travailler essentiellement votre dos, votre nuque, vos épaules et vos bras, tantôt vos abdominaux, vos fessiers, vos hanches et vos jambes.

Pour être en pleine
forme

La vie est stimulante... et compliquée. Finalement, il n'est pas simple de tout mener de front : carrière, couple, enfants, amis, tout en gardant du temps pour soi. Dans ce contexte, l'exercice physique passe souvent à la trappe. Mais comment peut-on négliger cet aspect, alors que l'on a justement besoin d'emmagasiner de l'énergie pour pouvoir assurer le quotidien ? Sachez en effet que si vous misez sur la forme, vos efforts seront récompensés à plus d'un titre, car :

● Vous rayonnerez davantage et aurez une meilleure estime de vous-même.
● Vous serez plus performante.
● Vous serez plus résistante et supporterez mieux le stress.
● Vous serez plus détendue.
● Vous tomberez moins souvent malade.
● Vous vous sentirez mieux dans votre corps.
● Vous rajeunirez.
● Vous serez plus séduisante.
● Vous vous sentirez tout simplement mieux.

Sans ce que cela vous coûte !

Comme vous pouvez le constater, entretenir sa forme est un bon investissement ! Vous n'avez pas le temps ? Les séances de gymnastique matinale que nous vous proposons n'ajouteront aucun stress supplémentaire à votre journée déjà bien remplie. En revanche, grâce à elles, vous vous assouplirez, vous vous musclerez et vous améliorerez votre circulation sanguine avec pour seule devise : un minimum d'efforts pour un effet maximum.

Pour bien démarrer la journée

➤ Suivant vos besoins et le temps dont vous disposez, choisissez un programme de 10, 20 ou 30 minutes. Si vous êtes vraiment à la minute près, tenez-vous à la séance spécialement conçue pour les hyperpressées.

➤ Pour profiter toute la journée du punch que vous donneront ces exercices physiques ciblés, pratiquez toujours le matin.

➤ Enfin, comme on ne peut se constituer des réserves de forme, faites votre gym au moins trois fois par semaine, ou mieux encore, tous les jours.

Conseil

CONSEILS PRATIQUES POUR VOTRE SÉANCE DE GYM MATINALE

➤ **Tenue :** portez des vêtements souples et confortables, mais près du corps, afin de mieux suivre et contrôler le travail musculaire. Vous constaterez en outre plus rapidement la transformation de votre silhouette, ce qui vous motivera. Choisissez enfin une tenue de votre couleur préférée, cela vous mettra de bonne humeur dès le matin.
Si vous avez les cheveux longs, attachez-les pour qu'ils ne vous tombent pas dans les yeux.
S'il fait frais, mettez des chaussettes, mais choisissez-les antidérapantes pour ne pas glisser.

➤ **Boisson :** Ayez toujours une bouteille d'eau minérale à portée de main. Ainsi, vous ne serez pas obligée d'interrompre votre séance si vous avez soif.

➤ **Gestion du temps :** Prévoyez une montre ou une pendule équipée d'une trotteuse, car pour de nombreux exercices, la durée est indiquée en minutes et en secondes.

Premier volet : gagnez en souplesse

Connaissez-vous le bien-être que l'on ressent après s'être bien dépensé physiquement ? Essayez et vous constaterez que :

● L'exercice physique, c'est du bonheur à l'état pur. Cela a d'ailleurs été scientifiquement prouvé : le fait de faire du sport déclenche dans le cerveau la production d'hormones euphorisantes, les endorphines.

● C'est aussi un mode d'expression. Avec ces séances de gymnastique matinale, vous serez encore plus rayonnante, car vos mouvements seront plus à la fois puissants, plus harmonieux et plus élégants, et votre allure plus gracieuse.

● C'est également la santé, car l'exercice physique renforce le système immunitaire. Bougez, et vous respirerez mieux, votre cœur sera mieux oxygéné et vos muscles mieux irrigués.

● C'est enfin un bon stimulant intellectuel. De nombreuses études ont en effet montré que l'activité sportive stimulait le cerveau.

Un dernier conseil : faites de l'exercice régulièrement, sinon vous allez vous rouiller au fil du temps, et il vous sera encore plus difficile de bouger.

Souplesse et mobilité

Ce sont avant tout vos articulations qui vous permettent de bouger. Prenons le cas des énarthroses : ces articulations qui consistent en une boule pivotant dans un logement concave, sont très mobiles (pensez aux épaules et à la liberté de mouvement qu'elles confèrent aux bras par exemple). D'autres articulations, telles celles qui relient les phalanges ou encore le genou, sont moins mobiles. Ce sont des sortes de charnières qui vous permettent seulement de plier ou de tendre le membre correspondant. Le rayon d'action de vos articulations est prédéterminé. On ne peut donc pas le modifier, mais la gymnastique permet de l'optimiser.

Les bienfaits des étirements

Plus vous pouvez vous étirer, plus vous pouvez bouger librement. Vos articulations sont en effet entourées de ligaments, de tissus conjonctifs, de muscles et de tendons dont l'élasticité et la souplesse déterminent la mobilité de votre corps. Certains exercices permettent de gagner en souplesse et en mobilité : ce sont les étirements, qui constituent la base d'un type de gymnastique très en vogue, le « stretching ».

Envie de vous étirer ?

Voici un premier petit étirement qui achèvera de vous convaincre. Pour le faire, vous pouvez même rester dans la position dans laquelle vous vous trouvez.

1. Fermez les yeux. Imaginez que vous êtes un chat qui se réveille de sa sieste, et étirez-vous comme il le ferait.
Très bien. Cela vous fait tellement de bien que vous vous mettez presque à ronronner.

2. Accordez-vous régulièrement ce plaisir. Vous n'avez besoin d'aucun accessoire, d'aucun matériel pour vous étirer, votre corps suffit !

Testez
votre souplesse

Faites ce test après votre séance de gym matinale ou plus tard dans la journée, lorsque votre corps est échauffé. Cela vous prendra seulement cinq minutes. Il vous suffit d'avoir un tapis de gymnastique et vos chaussures de sport.

LACEZ VOS CHAUSSURES

1. Enfilez vos baskets sans les lacer. Mettez-vous debout, les pieds joints, les jambes tendues, et laissez pendre vos bras de chaque côté de votre corps.

2. Penchez-vous lentement en avant : d'abord la tête, puis le dos, vertèbre après vertèbre, jusqu'à ce que le bout de vos doigts touche vos pieds.

3. Comptez jusqu'à 15, puis redressez-vous lentement.

4. Répétez l'exercice, mais cette fois lacez vos chaussures.

OUVREZ LA CAGE THORACIQUE

1. Déroulez votre tapis de gymnastique et asseyez-vous en tailleur, le dos droit.

2. Croisez les doigts et tendez les bras au-dessus de la tête, en retournant la paume des mains vers le plafond et en poussant les cuisses vers le sol.

3. Comptez jusqu'à 15, puis relâchez.

PREMIER CAS DE FIGURE

● Lorsque vous vous êtes penchée en avant pour le premier exercice, le bout de vos doigts se trouvait quelque part entre vos genoux et vos chevilles.

● Dans le second exercice, vous n'avez pas réussi à tendre complètement les bras, ou encore vos genoux sont restés à plus de 20 cm du sol.

➤ Mon conseil :

Faites de la gymnastique tous les matins et complétez, si possible, ces séances avec des étirements, en vous inspirant des conseils prodigués dans le cadre du programme abdos-fessiers-jambes de la page 34.

DEUXIÈME CAS DE FIGURE

● Lorsque vous vous êtes penchée en avant, le bout de vos doigts touchait vos pieds et vous n'avez eu aucun mal à nouer vos lacets.

● Dans le second exercice, vous avez pu tendre les bras et vos genoux étaient à moins de 10 cm de sol.

➤ Mon conseil :

Continuez à faire de la gymnastique. Si vous voulez vous assouplir davantage, allongez la durée des étirements proposés dans mes séances de gymnastique matinale. Faites-le progressivement (prolongez-les de 2 secondes, puis de 4, de 6...) de façon à ne pas trop forcer.

Deuxième volet :
activez votre circulation sanguine

Savez-vous que la longueur totale de vos vaisseaux sanguins est d'environ cent mille kilomètres ? C'est beaucoup, non ? Le sang y circule sans interruption, empruntant deux circuits distincts : la petite circulation, au niveau pulmonaire, et la grande circulation, qui le diffuse dans tout le corps.

Dans la petite circulation, le sang veineux part du cœur vers les poumons où se produit un échange gazeux. Le sang s'y décharge en effet de son gaz carbonique pour se charger en oxygène avant de repartir vers le cœur, pour irriguer ensuite l'ensemble du corps en effectuant la grande circulation. Pour cela, les vaisseaux partant du cœur (les artères) doivent maintenir une pression élevée, ce qui explique la vigueur de leur couche musculaire, plus importante que celle des veines. Ces dernières sont, en effet, aidées dans leur tâche par les muscles des bras et des jambes qui se contractent à chaque mouvement, exerçant ainsi une pression sur les veines et repoussant le sang veineux vers le cœur à l'aide d'une sorte de clapet intégré.

Comment avoir la pêche

Vous pouvez stimuler vous-même ce processus naturel fascinant. L'idéal est de faire un peu de gymnastique matinale, car cela renforce en particulier le système cardio-vasculaire. Certains mouvements permettent en effet de lui donner un coup de pouce et d'éviter qu'il devienne paresseux et s'emballe lorsqu'il est tout à coup sollicité, comme lorsque vous grimpez les escaliers en vitesse ou courez après le bus.

... et faire le plein d'oxygène

Faire de l'exercice est essentiel, certes, mais cela ne suffit pas. Encore faut-il aussi respirer cor-

La respiration la plus bénéfique pour votre circulation est profonde et fluide. Essayez.

rectement. C'est en effet le souffle qui, via les poumons, apporte au sang l'oxygène dont il a besoin pour que la circulation soit efficace et que le cerveau, les muscles et le cœur soient correctement oxygénés sans que nos réserves énergétiques soient épuisées.

Or, plus le cœur reçoit d'oxygène, plus il envoie de sang dans l'organisme à chaque battement. Ceci permet à leur tour aux vaisseaux sanguins de mieux réguler la pression artérielle et d'éviter les risques d'hypertension.

Respirez à fond, tout simplement

1. Asseyez-vous le dos bien droit, les mains posées sur le ventre.

2. Inspirez lentement par le nez. Poussez l'air très loin, très profondément, « jusque dans le ventre », puis remplissez la partie inférieure des poumons.

3. Expirez maintenant tout aussi profondément, en veillant à rester détendue. Sentez votre ventre et votre poitrine se gonfler à l'inspir et se creuser à l'expir.

Faites vos réserves

➤ Dans la mesure du possible, respirez toujours par le nez.

Le nez réchauffe l'air et le porte à une température agréable pour les poumons. Il l'humidifie et le filtre, éliminant les impuretés. En outre, la respiration nasale stimule un muscle capital, le diaphragme, chargé d'assurer une meilleure irrigation des organes internes pendant la respiration.

➤ Veillez que la respiration continue à préserver la circulation pendant votre séance de gymnastique. Ne forcez pas trop, ne vous dépensez pas au point d'être à bout de souffle, car cela est mauvais pour le cœur et pour la circulation. La règle d'or à observer : quand vous faites vos exercices, assurez-vous que vous pouvez encore parler.

➤ Pendant les séquences intensives, inspirez par le nez et expirez par la bouche.

Info

De l'air !

Vous aimeriez savoir à quelle fréquence vous inspirez et vous expirez, ou encore connaître la composition exacte de l'air que vous inspirez ? Alors ces quelques chiffres vont vous intéresser.

● Vous respirez en moyenne 18 fois par minute, soit quelque 25 920 fois par jour et 9 500 000 fois par an.

● À chaque inspiration, vous absorbez un demi-litre d'air. Ainsi, l'air que vous inspirez en un an remplirait un grand gymnase.

● Le cocktail que vous inspirez est composé de 20 % d'oxygène et 80 % d'azote.

● Le mélange que vous expirez contient, quant à lui, 16 % d'oxygène, 4 % de gaz carbonique et 80 % d'azote.

● Plus vous êtes en forme, plus votre organisme peut absorber d'oxygène. Si vous faites de la gymnastique tous les matins, la proportion s'élève à 4 % par inspiration. Un sportif de haut niveau prélève jusqu'à 7 % d'oxygène à chaque inspiration. Les grands fainéants en revanche en absorbent tout au plus 3 %.

Troisième volet :
raffermissez vos muscles

Vous n'avez bien sûr nullement l'intention de ressembler à un Arnold Schwarzenegger au féminin : beaucoup trop de volume aux mauvais endroits.

De la grâce, pas des gros bras !

Ce que vous voulez, ce sont de jolies courbes au bon endroit. Vous aimeriez avoir un corps ferme, souple, débordant de vitalité ? Rien de plus simple ! Pour y parvenir, il vous suffit de faire jouer vos muscles tous les matins pendant une petite séance de gym. Vous pouvez ainsi avoir une action ciblée sur des zones précises de votre corps, les modeler à votre gré, et raffermir votre peau. Vous verrez les résultats de vos efforts au bout d'une dizaine de semaines à peine : un ventre plat, des fessiers, des jambes et des bras fermes et joliment galbés, de même que tous les muscles qui leur sont liés.

Les muscles en bref

Se contracter, puis se relâcher : c'est ce que ne cessent de faire vos muscles. Une activité simple, mais très importante, car au bout du compte c'est grâce à vos muscles que vous tenez debout. Ce sont eux encore qui font bouger vos articulations et coordonnent chacun de vos mouvements. Et même lorsque vous vous prélassez sur votre canapé, ils restent actifs. Composés de 70 à 80 % d'eau, jusqu'à 18 % de protéines et 3 à 4 % de sels, vos muscles transforment vos graisses en énergie, si tant est que vous les utilisiez de façon intensive. Votre corps compte en tout quelque 640 de ces mini ou maxi-centrales énergétiques.

Des fibres lentes, moyennes et rapides

Un muscle est composé de nombreuses fibres, sortes de câbles électriques que l'on classe en trois catégories : rapides, moyens et lents. Ainsi, pour courir très vite, vous sollicitez essentiellement vos fibres rapides. Lorsque vous pratiquez le walking, ce sont, en revanche, vos fibres moyennes qui sont en jeu. Enfin, lorsque vous écrivez une lettre, seules vos fibres lentes interviennent.

Le nombre de fibres dont vous disposez dans chaque catégorie est déterminé par la génétique. Est-il possible de modifier le patrimoine de base de chaque individu par le biais de certains exercices ? C'est ce que les spécialistes de la science du sport cherchent à savoir.

Sentez la puissance de vos muscles

La masse musculaire d'une femme représente entre 25 et 35 % de son poids corporel, contre 40 à 50 % pour un homme. Si la proportion de graisse dans le corps est supérieure de 10 % environ chez les femmes, sans doute du fait de

Conseil

FAITES TRAVAILLER VOS MUSCLES À TOUT MOMENT AVEC LES EXERCICES ISOMÉTRIQUES

À en croire les statistiques, vous passez douze ans de votre vie devant la télévision et cinq ans à attendre (à l'arrêt de bus, dans les embouteillages, à la caisse du supermarché, chez le médecin ou aux guichets).

Les exercices isométriques vous permettent de tirer partie de ce temps perdu. Ce terme d'origine grecque, qui signifie littéralement « de longueur égale », qualifie une gymnastique dont les exercices n'ont pas pour objectif d'étirer les fibres musculaires comme le stretching, mais de les renforcer en conservant leur longueur initiale. Le principal avantage de cette méthode, c'est que vous pouvez la pratiquer n'importe où et n'importe quand, car elle passe complètement inaperçue.

➤ **Les jambes**

Asseyez-vous sur une chaise, la jambe droite croisée sur la gauche. Essayez maintenant de repousser la jambe droite avec la gauche sans soulever le pied et comptez jusqu'à 5. Relâchez et reposez les pieds parallèles au sol, puis recommencez de l'autre côté. Faites-le 5 fois pour chaque jambe.

➤ **Les fessiers et les cuisses**

Assise ou debout, serrez les fesses et tenez 5 secondes. Serrez assez fermement pour sentir la tension jusque dans les cuisses.

➤ **Les bras et le dos**

Assise dans votre voiture, vous êtes arrêtée au feu rouge. Saisissez fermement le volant à deux mains, puis appuyez fortement dessus. Comptez jusqu'à 5, puis relâchez. Répétez l'exercice jusqu'à ce que le feu soit vert.

➤ **Les abdominaux**

Debout, les pieds parallèles. Rentrez le ventre en respirant calmement. Comptez jusqu'à 5, puis relâchez. Faites cet exercice le plus souvent possible.

➤ **Les épaules**

Debout derrière une chaise, la main gauche posée sur le dossier. Avancez la jambe gauche d'un pas, puis appuyez fermement sur le dossier de la chaise avec la main gauche et comptez jusqu'à 5. Changez ensuite de côté.

---

l'évolution, du moins la nature a-t-elle été équitable pour ce qui est de la dégénérescence musculaire, similaire pour les deux sexes. Au plus tard à partir de la trentaine en effet, les hommes, comme les femmes, voient leur masse musculaire décroître au profit des tissus adipeux. Sachez néanmoins que vous pouvez freiner ce processus en faisant régulièrement de l'exercice. Alors bougez-vous !

À vos marques, prêt, partez !

Comme une grande partie des muscles (40 % environ) se trouve dans les jambes, c'est là que vous obtiendrez les meilleurs résultats. Aussi, si vous êtes motivée, ne vous contentez pas de votre petite séance de gym matinale : faites du jogging, du vélo, du roller, ou même allez danser. Vos jambes vous en diront des nouvelles !

10 Minutes
pour les
pressées

En forme en un clin d'œil

Toujours quelque chose à faire, jamais de pause. Dès les premières heures, votre journée démarre sur les chapeaux de roue. Dans ce contexte, chaque mouvement compte et doit être immédiatement efficace. Voici deux mini-séances spécialement adaptées à vos besoins, pour que vous ne soyez jamais obligée de renoncer à votre gym matinale.

Vous courez après le temps ?

Vous êtes complètement stressée, vous travaillez depuis des jours avec une pression intense, et n'avez pas une minute à consacrer à l'entretien de votre forme. Mais dans quelques jours tout ça va changer : votre projet sera bouclé, les négociations terminées et vous pourrez prendre du temps pour vous, pour votre corps. Vous irez alors trois fois par semaine à votre club de gym, vous vous achèterez de nouvelles chaussures de sport, vous vous lèverez deux fois par semaine une heure plus tôt pour aller courir dans le parc... Dans quelques jours, dites-vous...

Ne vous faites pas d'illusion : vous ne le ferez jamais. Pourquoi ? Parce que les projets trop ambitieux vous stressent et sont donc condamnés à l'échec. Résultat : vous culpabilisez. Et cela rajoute encore à votre stress. Assez ! Regardez la réalité en face : vous travaillez dur, vous travaillez beaucoup. Cela va continuer encore quelques jours, et puis... ça va recommencer. Cela ne signifie pas pour autant que votre corps doive renoncer à un entretien régulier. La solution : une séance de gymnastique matinale spécialement conçue pour les femmes pressées.

En forme, vite !

Cela vous donnera de l'énergie et vous mettra de bonne humeur, et vous apprendrez qu'un organisme en forme supporte mieux les moments de stress. Le programme que je vous propose ne dure que 10 minutes, ce qui vous permet de continuer à faire le plein de tonus même en période de pointe.

Et si vous n'avez même pas 10 minutes à consacrer à votre corps ? Rassurez-vous, j'ai tout prévu : les hyperpressées comme vous peuvent prendre soin de leur corps en faisant leur toilette, et faire ainsi d'une pierre deux coups.

Conseil

COMMENCEZ PAR RESPIRER À FOND

Même si vous êtes pressée, ne laissez pas votre hâte perturber votre souffle. Ne respirez ni vite ni superficiellement, car votre séance de gymnastique ne sera efficace que si vous avez une respiration lente et profonde, qui augmente votre capacité pulmonaire. Le sang reçoit ainsi davantage d'oxygène et le cœur, le cerveau et les muscles sont à leur tour mieux oxygénés. Cela booste le métabolisme et permet ainsi à l'organisme d'éliminer plus vite les toxines. Aussi, pendant que vous faites vos exercices :

➤ Respirez consciemment, c'est-à-dire inspirez très profondément.

➤ Ne retenez jamais votre souffle, mais laissez l'air s'écouler régulièrement.

➤ Inspirez et expirez par le nez. Lors de séquences particulièrement intensives, inspirez par le nez et expirez par la bouche légèrement entrouverte.

Gym rapide :
le buste

Avant d'attaquer votre séance :

➤ Installez un tapis de gymnastique ou deux couvertures en laine et préparez du thé vert (acheté dans les magasins bio ou diététiques, voire au supermarché).

➤ Aérez la pièce où vous allez pratiquer.

Nuque, dos, poitrine et bras

Échauffement

1. Commencez par courir tranquillement sur place.

2. Faites ensuite entrer les bras dans la danse. Fermez les poings sans les serrer et levez-les à hauteur du visage. Projetez à tour de rôle votre poing gauche puis le droit vers l'avant, en veillant à ne pas trop hausser les épaules.

➤ Commencez lentement, puis accélérez progressivement le rythme et augmentez la puissance. Boxez ainsi votre adversaire imaginaire pendant deux minutes non-stop.

Toute séance de gym digne de ce nom commence par un échauffement. Toujours. Même si vous êtes pressée et n'avez que deux minutes devant vous. Consacrez-les alors à un mini-échauffement qui va préparer votre corps aux activités de la journée. Ainsi, la circulation se remet lentement en marche, muscles et articulations se dérouillent et retrouvent souplesse et mobilité.

Réveillez ensuite votre corps en faisant quelques mouvements de boxe : donnez des coups de poing dans l'air, ciblés, puissants, mais néanmoins détendus. Pour vous motiver, imaginez que vous avez devant vous quelqu'un qui vous tape actuellement sur les nerfs (par exemple votre chef qui vous a encore fait une remarque désagréable) et donnez-vous en à cœur joie !

Grand étirement

Les chats des grandes villes se sont, certes, habitués depuis longtemps à leur environnement stressant. Pourtant ils continuent à s'étirer régulièrement très voluptueusement, de façon instinctive. Faites comme eux !
En vous étirant, vous gagnez en mobilité, vous améliorez votre posture et vous vous sentez merveilleusement bien dans votre corps.

L'exercice que je vous propose ici étire essentiellement les flancs.

1. Les pieds écartés de la largeur des épaules, levez les bras au-dessus de la tête et saisissez le poignet gauche avec la main droite.

2. Tirez doucement le bras gauche vers la droite de façon à sentir l'étirement dans tout le côté gauche. Maintenez l'étirement et comptez lentement jusqu'à 25.

3. Relâchez brièvement et changez de côté. Faites l'exercice deux fois de chaque côté.

Pompes version soft

Les muscles sont un gage de beauté, car ils façonnent le corps et le raffermissent. Alors faites-les travailler un peu ! Voici un exercice qui renforce les muscles des bras et de la poitrine.

➤ Attention à la respiration : veillez à expirer pendant la phase de tension, et inspirez à nouveau profondément lorsque vous relâchez. Appliquez maintenant cette technique respiratoire à l'exercice suivant.

1. Mettez-vous à quatre pattes sur votre tapis, puis croisez les pieds, en posant la cheville droite sur la gauche. Le poids du corps repose essentiellement sur les genoux.

2. Fléchissez les bras en abaissant le buste jusqu'à ce que le visage ne soit plus qu'à quelques centimètres du sol. Attention à ne pas creuser le dos. Les cuisses sont à la verticale, le bassin au-dessus des genoux, et le dos reste bien droit.

➤ Relevez et abaissez le buste pendant deux minutes, à votre propre rythme.

Le chat qui s'étire

Au bureau, votre colonne vertébrale ne rigole pas tous les jours, alors que vous restez pendant des heures assise dans la même position. Il n'est guère étonnant qu'elle soit de moins en moins mobile !

Et elle n'est pas la seule à se raidir de plus en plus : son entourage aussi ! Résultat : des tensions douloureuses dans les épaules, le dos et le bassin. La cage thoracique se resserre et vous donne l'impression de porter un corset. Compensez votre immobilisme en faisant l'enchaînement tout simple du chat qui s'étire : cet exercice permet à la colonne vertébrale de conserver ou de retrouver sa mobilité et dissipe les tensions qui font typiquement souffrir les personnes exerçant une activité sédentaire.

1. Mettez-vous à quatre pattes sur votre tapis.

2. Arrondissez maintenant le dos vers le haut comme un chat qui s'étire, poussez le menton vers la poitrine de façon à rentrer légèrement la tête. Comptez jusqu'à 10.

3. Prenez maintenant la contre-posture : creusez le dos, étirez la colonne vertébrale, redressez la tête et regardez vers le plafond. Comptez jusqu'à 10.

➤ Enchaînez ces deux postures à votre rythme pendant deux minutes.

Dessinez des huit et buvez du thé vert

La précipitation nous fait souvent perdre notre sens de l'observation. En fait, c'est surtout une question de concentration. Or celle-ci dépend de la forme dans laquelle se trouve votre cerveau. Les yeux bien sûr ont aussi leur importance : lorsqu'on a une bonne vue, on a plus de chances de rester observateur.

La solution ? faire des huit ! Cet exercice active en effet les hémisphères droit et gauche du cerveau et les synchronise, ce qui vous aide à mieux vous concentrer. Il fait en outre travailler les muscles des yeux, et ce de façon très ludique.

Stop, n'oubliez pas que vous êtes pressée !

➤ Mettez l'eau à chauffer pour le thé vert, et faites des huit avec vos yeux jusqu'à ce qu'elle bouille, puis faites encore un peu de gymnastique oculaire pendant que le thé infuse.

Voici en quoi consiste l'exercice :

1. Fermez les yeux et respirez de façon détendue.

2. Imaginez maintenant le chiffre 8 et dessinez-le avec les yeux, en les faisant rouler dans les orbites. Dessinez ainsi de très nombreux huit invisibles, couchés ou dressés.

➤ Commencez alternativement les yeux en haut, en bas, à gauche et à droite, et faites des huit pendant deux minutes en tout.

Le petit plus

SACRÉ THÉ VERT !

Le thé vert est un délicieux breuvage aux multiples vertus, tant médicinales qu'esthétiques. Excellent pour la santé, il apporte au corps et à l'esprit un regain d'énergie immédiat, renforce le système immunitaire, lie les toxines et les élimine.

On dit aussi qu'il anéantit les radicaux libres et protège ainsi l'organisme des risques de cancer. Le thé vert contient en outre du fluor, ce qui lui confère une action antibactérienne et prévient les caries. Riche en vitamines, minéraux, oligo-éléments et huiles essentielles, ce puissant cocktail ralentirait enfin le vieillissement de la peau, d'où le succès qu'il rencontre auprès de l'industrie des cosmétiques.

Une tasse de thé vert contient 40 mg de caféine, contre 60 à 150 mg pour une tasse de café. En outre, tandis que la caféine du café stimule essentiellement système cardio-vasculaire, celle du thé vert agit directement sur le cerveau et le système nerveux central. Ainsi, bien que le thé vert soit un excitant, il ne sollicite ni le cœur, ni l'appareil circulatoire.

➤ Mettez dans une boule à thé une demi-cuillerée à café de thé vert que vous glissez dans une tasse. Laissez refroidir de l'eau bouillie jusqu'à 70-80 °C (pour aller plus vite, vous pouvez rajouter un peu d'eau froide) et versez-la sur le thé. Laissez infuser trois minutes tout au plus.

Gym rapide : le bas du corps

Avant d'attaquer votre séance :

➤ Installez votre tapis de gymnastique ou deux couvertures en laine ; vous avez aussi besoin d'une chaise. Achetez du gingembre en poudre pour infusion (magasin bio ou diététique).

➤ Aérez la pièce où vous allez pratiquer.

Abdominaux, fessiers, jambes et hanches

Échauffement

« Est-ce que je vais arriver à tout faire ? » Votre agenda trop rempli vous met les nerfs à fleur de peau et vous empêche de dormir. Lorsque le réveil sonne, vous émergez épuisée, le corps encore tout tendu. Si vous ne pouvez rattraper le sommeil perdu, vous pouvez, en revanche, faire quelque chose pour éliminer toutes ces tensions et vous réchauffer, et porter ainsi votre organisme à

une température qui lui permette de fonctionner. En secouant le moindre millimètre carré de votre corps, vous le régénérez et refaites le plein d'énergie.

1. Mettez-vous debout, détendue, les jambes écartées.
2. Soulevez légèrement le pied droit et secouez-le brièvement. Faites ensuite de même avec le pied gauche.
3. Passez ensuite aux bras et aux mains.
4. Secouez enfin le bassin, en le basculant d'avant en arrière.

5. Prolongez le balancement du bassin jusque dans le buste et secouez-le aussi.
6. N'oubliez pas de secouer la tête et les épaules !

➤ Secouez ainsi tout votre corps pendant deux minutes.

Flexion dynamique

Plus vous êtes pressée, plus vous recherchez l'efficacité. L'enchaînement que je vous propose ici répond tout à fait à cette exigence : il étire en effet rapidement tous les groupes de muscles importants du ventre, des jambes, de la poitrine et du dos, tout en faisant travailler l'équilibre.

1. Mettez-vous à quatre pattes sur votre tapis.
2. Étirez simultanément le bras gauche en avant et la jambe droite en arrière, bien alignés avec le dos.
3. Tendez bien le bras et la jambe, et maintenez tout le corps bien ferme. Veillez à ne pas creuser le dos, et gardez la tête dans le prolongement de la colonne vertébrale. Comptez alors jusqu'à 10.

4. Rapprochez maintenant le bas et la jambe opposés de façon à ce que le coude et le genou se touchent. Laissez pendre la tête et gardez les hanches parallèles au sol. Comptez à nouveau jusqu'à 10.

➤ Répétez cet exercice plusieurs fois pendant une minute, puis changez de diagonale.

Le monde à l'envers

De bon matin, inversez tout simplement votre vision du monde en faisant la chandelle. Cette posture agréable apporte son lot de bienfaits : elle assouplit le corps et le rend plus mobile, renforce les gaines nerveuses et tonifie le cœur. En outre la nuque, particulièrement soumise au stress, est mieux irriguée, ce qui la rend moins sensible aux tensions.

1. Allongez-vous sur le dos sur votre tapis.

2. Amenez lentement les jambes à l'horizontale au-dessus de la tête, et soutenez le dos avec les mains à hauteur du bassin. Restez ainsi bien détendue pendant 10 respirations.

3. Amenez maintenant les jambes à la verticale, en soutenant toujours le dos avec les mains. Faites 10 respirations profondes.

4. Descendez ensuite les jambes derrière la tête jusqu'à ce que vos orteils touchent le sol. Si vos pieds touchent le sol, étalez les bras en croix et faites 10 respirations profondes.

5. Repoussez ensuite le sol avec les pieds et tendez à nouveau les jambes à la verticale. Déroulez lentement le dos et étalez-le bien au sol. Ramenez les bras le long

du corps et faites 10 respirations profondes.

6. Fléchissez les genoux, puis allongez les jambes au sol et revenez lentement en position assise.

➤ Comptez deux minutes pour cet enchaînement.

Adieu les fesses molles !

Vous voulez avoir un derrière bien ferme ? Ne vous privez pas ! Rares sont les parties du corps qui réagissent aussi vite à un entraînement ciblé régulier.

1. Asseyez-vous sur le bord d'une chaise, le dos bien droit.

2. Soulevez le genou droit à hauteur de poitrine et entourez-le avec les deux mains, sans laisser tomber les épaules en avant. Le pied gauche reste posé au sol.

3. Avec les mains, poussez le genou contre la poitrine et résistez simultanément à cette pression en essayant d'éloigner

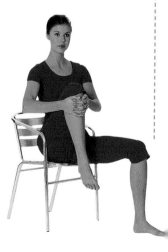

la jambe droite du buste. Ne cambrez pas, maintenez l'effort et comptez jusqu'à 10.

➤ Relâchez ensuite brièvement, puis changez de jambe. Faites l'exercice six fois de chaque côté.

Coup de pouce final : déroulements des pieds et infusion de gingembre

- -

Avec une tasse de tisane de gingembre, vous serez vite d'attaque, débordante de vitalité et prête à affronter le rythme infernal de la vie quotidienne. Pour que vos pieds suivent sans rechigner, profitez du temps d'infusion pour vous occuper d'eux.

1. En position debout, soulevez légèrement le pied gauche du sol. Si vous avez des problèmes d'équilibre, posez une main sur la table de la cuisine.

2. Décrivez tout d'abord des cercles avec le pied, dans un sens puis dans l'autre.

3. Alternez ensuite flexions et extensions de la cheville.

4. Recroquevillez maintenant les orteils, comme si vous vouliez saisir un crayon, puis relâchez.

5. Pour finir, déroulez latéralement la plante du pied en amenant alternativement l'arête extérieure puis l'intérieur du pied au sol.

➤ Une fois terminée cette série qui dure une minute en tout, changez de pied.

PUISSANT GINGEMBRE

Une tisane pour vous détendre ? Pas du tout ! L'infusion de gingembre va au contraire vous donner des ailes ! Cette savoureuse boisson aromatique aux vertus thérapeutiques et esthétiques présente en effet l'avantage de stimuler la circulation sanguine et de vous mettre de bonne humeur. Pour la préparer plus vite, achetez du gingembre en poudre.

➤ Versez une cuillerée à café de poudre de gingembre dans une tasse, ajoutez 20 cl d'eau frémissante et remuez vigoureusement, puis attendez que la tisane tiédisse. Ajoutez un nuage de lait et un peu de miel, mélangez et savourez, c'est délicieux.

Gym rapide : pour les hyper-pressées

Avant d'attaquer votre séance :

➤ Il vous faut un radio-réveil, deux cuillères à soupe et de l'infusion de ginkgo (en vente dans les magasins bio ou les boutiques diététiques).

Pédalez au lit en écoutant les infos

La bonne nouvelle : vous pouvez rester au lit pour l'échauffement, et vous n'êtes pas obligée d'ouvrir les yeux tout de suite. En revanche, dès que votre radio-réveil se déclenche, vous devez repousser votre couette bien douillette et commencer immédiatement l'échauffement.

1. Mettez-vous sur le dos et écartez les bras en croix.
2. Soulevez les jambes et commencez à pédaler sur votre bicyclette imaginaire. Pendant que la radio vous donne la météo du jour, vous pédalez tranquillement devant vous.
3. Au bout de 30 secondes, accélérez la cadence.
4. Au bout d'une minute et demie, préparez-vous pour le sprint final. Pendant les 30 dernières secondes de l'exercice, donnez-vous à fond. Roulez à toute allure vers votre but fictif et arrivez pile à l'heure.

Dansez en vous brossant les dents

Allez maintenant dans la salle de bains. C'est le moment de vous brosser les dents tout en poursuivant votre séance de gym. En effet, pendant que votre brosse à dents décrit des cercles systématiques dans votre bouche, dressez-vous sur la pointe des pieds, pour le plus grand bonheur de vos mollets et de vos fessiers qui se raffermissent et gardent la forme.

1. Debout devant le lavabo, les pieds écartés de la largeur des épaules, fléchissez légèrement les genoux en gardant le dos bien droit.
2. Brossez-vous maintenant les dents tout en serrant les fesses.
3. Montez et descendez très vite sur la pointe des pieds pendant 25 secondes, puis relâchez brièvement avant de recommencer. Durée totale de l'exercice : deux minutes.

La gym sous la douche

Vous n'êtes pas une sportive de haut niveau, mais vous êtes hyperpressée. C'est pourquoi vous allez réaliser une prouesse. En effet, en deux minutes seulement, vous allez vous étirer tout le haut du dos, raffermir vos cuisses, stimuler votre circulation sanguine et même, si vous le souhaitez, prendre une bonne douche tonique et vous frictionner vigoureusement sous l'eau tiède.

Étirements pour le dos

1. Fixez la pomme de douche sur son support de façon à avoir les mains libres. Savonnez-vous

rapidement, puis placez-vous sous le jet d'eau de façon à être toujours mouillée.

2. Écartez maintenant les bras en croix, de façon que vos avant-bras soient à la verticale. Appuyez les bras (seulement eux) contre la paroi.

3. Poussez lentement le bassin vers l'avant jusqu'à ce que vous ressentiez un étirement agréable dans la poitrine et dans le dos. Attention de ne pas cambrer. Maintenez la posture et comptez jusqu'à 10.

➤ Relâchez brièvement puis recommencez cinq fois.

Conseil

N'OUBLIEZ PAS DE RIRE

Votre visage est marqué par le stress, tous les muscles de votre corps sont tendus et contractés, et cela se répercute sur votre souffle : rassurez-vous, il existe un antidote dépourvu de tout effet secondaire : le rire.

Un vrai éclat de rire détend à lui seul 230 muscles, dont les muscles des voies respiratoires, les pectoraux et le diaphragme. Le rire est très bon pour la santé : il décontracte, améliore la circulation sanguine et enrichit le sang en oxygène. C'est ce que la gélotologie, la toute nouvelle « science du rire », a mis en évidence. Encore une bonne nouvelle : vous pouvez vous entraîner à être gaie ! Pour cela, suivez les conseils suivants :

➤ Plusieurs fois par jour : fermez les yeux et souriez-vous intérieurement en appuyant sur le lobe de vos oreilles ; cela déclenche le rire réflexe.

➤ Soyez généreuse : faites rire au moins trois personnes par jour.

➤ Vous êtes vraiment à bout et rien ne marche : dans ce cas, ne ravalez pas votre rage, allez plutôt dans la salle de bains ou aux toilettes, mettez-vous devant la glace et faites-vous des grimaces ; tôt ou tard, vous allez forcément éclater de rire.

Renforcez vos cuisses

1. Posez les mains à plat sur le mur à hauteur des épaules.
2. Descendez lentement en fléchissant les genoux, jusqu'à ce que vos cuisses soient parallèles au sol. Sentez-vous la tension ? Comptez alors jusqu'à 15, puis redressez-vous lentement.

➤ Relâchez brièvement et recommencez trois fois.

Petite cuillère et soins du visage

Envie de vous occuper un instant des muscles de votre visage ? Bonne idée, car ce sont eux qui vous donnent une mine jeune et rayonnante.

➤ Nettoyez-vous le visage comme d'habitude, et mettez un peu de crème de jour que vous faites pénétrer... à la petite cuillère ! Vous allez ainsi stimuler la circulation et raffermir les muscles au niveau du visage. Le résultat est rapide : teint éclatant et peau ferme.

À bas le double menton

1. Prenez une cuillère à café dans chaque main et placez-les à l'horizontale sous le menton, la partie bombée contre la peau.
2. Placez la langue comme pour prononcer le son « n » et étirez le menton vers l'avant.
3. Tirez d'un coup sec la cuillère de la main droite vers la droite et celle de la main gauche vers la gauche.

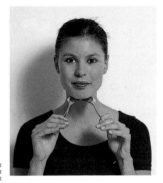

➤ Répétez 20 fois à un rythme assez soutenu.

Une bouche qui sourit

1. Posez les cuillères de part et d'autre de votre nez, partie bombée contre la peau, et formez un O avec la bouche.
2. Décrivez quelques cercles avec les cuillères.

3. Faites-les ensuite glisser vers les commissures des lèvres, puis décrivez à nouveau des cercles et remontez doucement vers les ailes du nez.

➤ Faites cet exercice 10 fois en tout.

Lissez vos pattes d'oie

1. Posez les cuillères contre le coin extérieur de vos yeux, au-dessus de la pommette, la partie

bombée contre la peau. Décrivez quelques cercles.

2. Faites ensuite glisser les cuillères vers les tempes, puis appuyez deux fois pendant un court moment.

➤ Répétez cet exercice 10 fois en tout.

Double action : renforcez votre plancher pelvien et buvez de l'infusion de ginkgo

Activité intense dans la cuisine : pendant que votre tisane de ginkgo infuse, vous faites travailler votre périnée.

1. Debout devant le plan de travail, les pieds écartés de la largeur du bassin, fléchissez légèrement les genoux, les mains sur les hanches ou posées à plat sur le plan de travail.

2. Contractez maintenant le périnée, et faites simultanément travailler vos fessiers : serrez vos ischions (les extrémités de l'os iliaque sur lesquelles vous vous asseyez), et relevez-les légèrement en contractant les muscles, puis relâchez. Recommencez 15 fois en tout à un rythme soutenu.

➤ Détendez-vous brièvement, puis répétez l'exercice encore deux fois.

Le petit plus

NOURRISSEZ VOS NERFS !

La boisson idéale pour les hyperpressées, c'est l'infusion obtenue à partir des feuilles de ginkgo biloba, qui « nourrit » les nerfs.

Cette tisane renferme en effet de nombreux principes actifs qui stimulent notamment l'irrigation du cerveau et clarifient les idées. Le ginkgo apporte en outre davantage de glucose et d'oxygène aux cellules nerveuses. Résultat : des nerfs plus solides.

➤ Mettez une cuillerée à café de feuilles de ginkgo séchées dans une boule à thé placée dans une tasse et versez dessus de l'eau frémissante. Laissez infuser cinq minutes et sucrez avec du miel.

20 Minutes
pour les battantes

Misez sur vous et gagnez force et tonus

Vous vous réveillez avec le sentiment que le monde vous appartient. L'envie de vous lancer dans vos activités vous sort rapidement du lit. Votre esprit bouillonne. Voici deux programmes de gym tonique pour accompagner votre élan et vous donner une pêche incroyable.

En pleine
forme
toute la journée

Vous débordez d'énergie. Pas tous les jours, mais très souvent. Le réveil a à peine sonné que vous êtes déjà debout. Comme votre soif d'activités s'accommode mal de rituels compliqués qui pourraient freiner votre élan, il vous suffit de vous passer un peu d'eau froide sur le visage pour avoir immédiatement le teint frais et les idées claires.

Vivre à cent à l'heure

Si vous savez fort bien ce que vous avez à faire, ce qu'il vous manque encore, c'est un programme de mise en forme qui vous aide à mener à bien vos projets. Vous savez en effet que le corps et l'esprit sont liés. Voici donc exactement ce qu'il vous faut : une séance de gym matinale de 20 minutes, véritable concentré d'énergie qui va vous donner encore un

---

Conseil

RELAXATION MINUTE

C'est en interrompant régulièrement votre travail que vous resterez en forme plus longtemps. Apprenez donc à tirer parti des mini-pauses.

➤ **Pause d'une minute**
Mâchez un chewing-gum. La mastication régulière détend les muscles du visage et des mâchoires. De plus, elle oxygène le cerveau, qui peut ainsi stocker des informations plus facilement.

➤ **Pause de deux minutes,**
Coup de pouce pour la nuque et les épaules : laissez pendre la tête en avant, puis appuyez les pouces au coin des yeux, à la racine du nez, le bout des autres doigts doucement posé sur le front. Fermez les yeux et laissez reposer le poids du visage sur les pouces pendant une minute. Redressez ensuite la tête et tournez-la à droite et à gauche plusieurs fois.

---

peu plus de pep, tant sur le plan physique qu'intellectuel et mental. Et votre visage s'illuminera immanquablement d'un grand sourire de battante.

Pour être d'attaque du matin au soir

Bien sûr, pas question que ce gain d'énergie ne soit qu'un coup de pouce pour vous aider à démarrer la journée. Ce que vous recherchez, c'est un effet

durable. Je vais vous donner une astuce :

➤ Faites de petites pauses au fil de la journée. Les études scientifiques ont prouvé leur utilité, mettant en évidence une chute naturelle des performances toutes les 90 minutes, que le café ne peut compenser. Pensez donc à refaire régulièrement le plein d'énergie avant de repartir sur les starting-blocks.

Gym tonique :
le **buste**

Avant d'attaquer votre séance

➤ Il vous faut : un tapis de gymnastique ou deux couvertures de laine ; une table et une chaise ; du café parfumé à la vanille (dans les supermarchés bien approvisionnés).

➤ Aérez la pièce avant de pratiquer.

Nuque, dos, poitrine et bras

Échauffement

Le corps n'aime pas fonctionner à froid. Avec cet échauffement en deux parties, vous activerez lentement votre circulation et amènerez progressivement vos muscles à la bonne température.

1. Écartez les pieds de la largeur des épaules.

2. Sur l'inspir, montez les bras tendus en avant, légèrement en arrière au-dessus de la tête, jusqu'à ce que vous sentiez un doux étirement au niveau des omoplates.

3. En expirant profondément, redescendez les bras en arrière, en fléchissant légèrement les genoux, les hanches et le dos bien souples.

4. Sur l'inspir suivant, remontez les bras et redressez le buste.

➤ Décrivez ainsi 15 cercles avec les bras.

5. Courez une minute sur place, en accompagnant le mouvement avec les bras légèrement fléchis, sans serrer les poings.

➤ Commencez doucement, puis accélérez, mais courez toujours de façon à pouvoir inspirer et expirer profondément.

La table

Étirez-vous pour rester en forme plus longtemps. Au cours de cet exercice très efficace, ce sont surtout les flancs et les pectoraux que vous allez étirer.

1. Placez-vous devant une table, à une longueur de bras de celle-ci, les pieds légèrement écartés, les jambes tendues. Levez les bras au-dessus de la tête.
2. Penchez maintenant les bras et le buste en avant jusqu'à ce que les paumes viennent se poser sur la table.
3. Sur l'expir suivant, poussez fortement le buste vers le sol. Sentez l'étirement dans les flancs et dans les pectoraux et restez 15 secondes.

➤ Après une courte pause, recommencez et étirez-vous encore quatre fois.

Nagez à sec

Évidemment, il vous manquera l'eau pour vous rafraîchir. Néanmoins, ce crawl à sec présente plus d'un attrait : il renforce tous les muscles du dos et étire bien l'ensemble du corps.
Pour cet exercice, déroulez votre tapis de gymnastique.

1. Allongez-vous sur le ventre, les jambes tendues et la pointe des pieds flex.

2. Fléchissez le bras droit et posez la main droite au sol à hauteur de la poitrine. Tendez le bras gauche à l'horizontale, au-dessus de la tête.
3. Étirez lentement tout le côté gauche, maintenez brièvement l'étirement puis changez de côté.

➤ Continuez à « nager » ainsi de façon à étirer 25 fois chaque côté, en essayant d'enchaîner les mouvements des bras sans à-coup.

Fendez du bois

Les abdominaux forment une gaine naturelle qui assure le maintien du buste de l'intérieur. Pour cela, il faut bien sûr que vous soyez tonique ! Fendez donc un peu de bois, cela fera travailler vos abdominaux obliques qui soutiennent vos dorsaux.

1. Allongez-vous sur le dos, les jambes légèrement fléchies, la plante des pieds au sol.

2. Pivotez le buste vers la gauche, tendez les bras en arrière au-dessus de la tête, les paumes des mains l'une contre l'autre, et regardez vos mains.

3. Étirez bien le buste, puis soulevez-le et amenez les bras par-dessus la tête vers le genou droit. Les paumes des mains restent jointes et les bras tendus. Suivez votre hache imaginaire du regard et sentez le travail de vos abdominaux.

4. Reposez le haut du corps au sol.

5. Changez ensuite de côté et fendez la bûche imaginaire qui se trouve sur votre gauche.

➤ Donnez ainsi 15 coups de hache à droite et à gauche.

Des bras d'acier

Connaissez-vous les exercices isométriques (page 11) ? Voici une façon très efficace de faire travailler vos muscles sans bouger beaucoup. Voyons par exemple les muscles des bras.

1. Tenez-vous debout, le dos droit, dans l'encadrement d'une porte ou dans un couloir étroit. Fléchissez légèrement les genoux, puis posez les mains sur le cadre de la porte ou sur les murs, à hauteur des épaules.

2. Appuyez fortement sur les mains en veillant à ne pas hausser les épaules. La force avec laquelle vous appuyez sur le montant en bois ou sur les murs

provient essentiellement de vos bras. Maintenez la pression en comptant jusqu'à 10.

➤ Relâchez puis recommencez. Faites l'exercice 18 fois en tout.

Ayez du ressort

Avec cet exercice respiratoire dynamique, vous ferez enfin le plein d'oxygène, ce qui comme vous le savez, est capital pour la forme (voir pages 9 et 13). En effet, l'oxygène donne de l'énergie à l'ensemble de l'organisme et vous rend plus forte sur le plan psychologique.

1. Écartez les pieds de la largeur des épaules et fléchissez légèrement les genoux. Mettez les mains à hauteur du nombril, les paumes tournées vers le haut et les doigts croisés.

2. Sur l'inspir, étirez légèrement les bras et levez les mains à hauteur de la poitrine.

3. Sur l'expir, retournez la paume des mains vers le bas et redescendez les mains à hauteur du nombril, en pliant davantage les genoux.

➤ Faites cet exercice 18 fois.

Balancement des bras

Idéal pour les sédentaires : ce travail du haut du corps masse et étire les muscles, tendons et ligaments unilatéralement sollicités qui retrouvent ainsi souplesse et mobilité.

1. Mettez-vous debout, les pieds écartés de la largeur des épaules, les genoux légèrement fléchis. Levez les bras au-dessus de la tête sans les tendre à fond.

2. Pendant que vous déplacez le poids du corps sur la jambe droite, inclinez les bras vers la droite en regardant vers les mains.

3. Changez ensuite de côté : transférez le poids du corps sur la jambe gauche et amenez les bras à droite.

➤ Balancez les bras 20 fois de chaque côté dans un mouvement très fluide, en veillant à ne pas pivoter le bassin.

Rotation des épaules et café à la vanille

En vraie battante, vous essayez de gagner de bon matin quelques précieuses minutes.

➤ Profitez donc de ce votre café passe pour rouler des mécaniques !

1. Asseyez-vous sur une chaise, le dos bien droit, sans vous appuyer au dossier.

2. Les mains posées sur les cuisses, décrivez des cercles avec les épaules d'avant en arrière, puis d'arrière en avant, 10 fois dans chaque sens.

3. Haussez ensuite les épaules, comptez jusqu'à 10, puis laissez-les retomber.

➤ Répétez trois fois cette gymnastique des épaules.

Le petit plus

PLAISIRS PARFUMÉS

Le café améliore vos performances intellectuelles : la caféine, le principe actif le plus important de ces grains bruns, stimule en effet le système nerveux et l'appareil circulatoire et améliore l'irrigation du cerveau. Ne vous privez donc pas du plaisir que vous procure une petite tasse de café. Tant que vous ne dépassez pas les limites du raisonnable, votre estomac ne se rebellera pas. Votre café du matin sera encore meilleur s'il est parfumé à la vanille.

➤ Important : Parallèlement à votre café, buvez au moins le double d'eau, car le breuvage noir déshydrate.

Gym tonique : le bas du **corps**

Avant d'attaquer votre séance

➤ Il vous faut un tapis de gymnastique ou deux couvertures de laine, un coussin et une table, ainsi que des oranges ou du jus d'orange, du piment et de la muscade en poudre.

➤ Aérez la pièce dans laquelle vous allez pratiquer.

Abdos, fessiers, jambes et hanches

Échauffement

Faites une respiration profonde, puis relâchez. Inutile de vous donner à fond pendant cette première phase, il vous suffit de sentir que votre corps est échauffé. Ce sont surtout vos articulations et vos ligaments qui vous remercieront de ce réveil en douceur, car ce sont eux qui sont le plus sollicités pendant la séance de gym.

1. Écartez les pieds de la largeur des épaules et fléchissez légèrement les genoux. Laissez les bras ballants de chaque côté du corps.

2. Pivotez maintenant le bassin alternativement à droite et à gauche, en laissant les bras suivre le mouvement. Poursuivez ce balancement fluide pendant une minute.

3. Serrez ensuite les pieds, puis soulevez le talon droit de façon que seuls les orteils reposent au sol.

4. Abaissez ensuite le talon droit tout en soulevant le gauche.

➤ Montez ainsi alternativement sur la pointe des pieds droit et gauche, selon un rythme assez soutenu, en balançant les bras détendus le long du corps pendant une minute

Étirements latéraux

Certes, vous pouvez encore ramasser un crayon au sol sans pousser soupir ni grognement, mais pour pouvoir continuer à le faire, vous devez étirer votre corps régulièrement. Avec l'exercice suivant, vous allez bien étirer vos flancs, des hanches jusqu'aux bras. Il est important de bien vous concentrer, de travailler dans le calme et de respirer consciemment.

Montée sur ressort

C'est vers l'âge de 30 ans au plus tard que la masse musculaire commence à diminuer et la proportion de graisse à augmenter. Vous pouvez freiner ce processus naturel de vieillissement en faisant certains mouvements précis. Commencez dès aujourd'hui avec cet exercice qui renforcera vos muscles des cuisses et vos fessiers.

1. Écartez les pieds d'un peu plus que la largeur des épaules, les mains à la taille.

2. Contractez les fessiers et fléchissez lentement les genoux. Descendez le plus bas possible tout en gardant les talons au sol, puis comptez jusqu'à 10.

3. Remontez lentement.

➤ Faites huit flexions. Veillez à ne pas vous pencher en avant et à garder le buste bien droit.

1. Écartez les pieds d'un mètre environ.

2. Posez la main droite sur la taille et levez le bras gauche en couronne au-dessus de la tête.

3. Penchez lentement le buste vers la droite à partir de la taille sans pivoter le bassin jusqu'à ce que vous sentiez l'étirement et comptez jusqu'à 10.

4. Relâchez et redressez-vous.

➤ Changez ensuite de côté. Étirez-vous quatre fois à droite, quatre fois à gauche.

Conseil

ÉTIREMENTS : FAITES D'UNE PIERRE DEUX COUPS

Le stretching raffermit la peau, modèle la silhouette et nous aide à nous sentir bien dans notre peau. Et ce n'est pas tout : il évite en outre que les fibres musculaires raccourcissent, ce qui limiterait leur rayon d'action.

Alors étirez-vous le plus souvent possible, même en dehors de vos séances de gym. Ne dites pas que vous n'avez pas le temps : intégrez tout simplement ces étirements dans vos activités quotidiennes. Voici quelques suggestions :

➤ **Au téléphone :** prenez l'habitude de téléphoner debout. Tenez le combiné de la main droite contre l'oreille droite. Montez sur la pointe des pieds et tendez fermement le bras gauche au-dessus de la tête. Changez ensuite de côté : le combiné dans la main gauche, appliqué contre l'oreille gauche, montez à nouveau sur la pointe des pieds et étirez le bras droit vers le haut.

➤ **En étendant la lessive :** en tendant les bras vers la corde à linge, basculez le bassin vers la gauche en soulevant légèrement le talon gauche du sol. Comptez jusqu'à 10, puis relâchez. Changez ensuite de côté.

Le papillon yogique

« Détendre le mental et tonifier le corps », voici le leitmotiv du yoga. Profitez des bienfaits en profondeur de cette méthode globale d'origine indienne, et plus précisément de la pratique des postures ou asanas.

La posture du papillon, par exemple, muscle la zone des épaules et de la poitrine, tout en vous habituant à garder le dos bien droit.

1. Agenouillez-vous et asseyez-vous sur les talons, le buste bien droit.

2. Joignez les mains dans le dos à hauteur des épaules, paume des mains l'une contre l'autre, les doigts pointés vers le bas. Sentez le doux étirement dans les épaules et la poitrine, tenez la posture pendant 25 secondes, puis écartez légèrement les mains.

3. Répétez l'ensemble de l'exercice.

4. Joignez à nouveau les paumes des mains, en pointant maintenant les doigts vers le haut. Si vous n'arrivez pas à bien joindre les mains, contentez-vous de mettre le bout des doigts en contact. Tenez la posture 25 secondes, relâchez brièvement puis recommencez.

Important : maintenez les avant-bras à l'horizontale et regardez droit devant vous.

➤ **En faisant les poussières :** plus vous vous étirez loin vers le haut, plus l'étirement est intense. Éliminez donc en priorité la poussière des étagères les plus proches du plafond ! Prenez votre chiffon d'abord dans la main droite, puis dans la gauche. Étirez-vous fermement en montant sur la pointe des pieds et... que ça brille !

Écart mural

Vous êtes assise toute la sainte journée : au bureau, à table, dans la voiture, dans le bus ou le métro. Il est donc indispensable de faire travailler vos jambes. Commencez par cet étirement de l'intérieur des cuisses.

1. Étalez votre tapis de gymnastique et allongez-vous sur le dos. Rapprochez le plus possible vos fesses du mur, levez les jambes à la verticale et appuyez-les contre le mur.

2. Écartez les jambes en les laissant peser de tout leur poids et sentez l'agréable étirement de l'intérieur des cuisses. Restez ainsi 30 secondes, puis joignez les jambes à la verticale.

➤ Répétez l'exercice trois fois puis allongez-vous et détendez-vous.

Pression des cuisses

Renforcez maintenant les muscles des cuisses et des hanches. Pour cet exercice, il vous faut un coussin et une chaise en plus du tapis.

1. Posez la chaise sur le tapis. Allongez-vous sur le dos, le coussin sous la tête, la chaise entre vos jambes fléchies, les genoux appuyés contre les pieds de la chaise.

2. Pressez maintenant fermement vos jambes contre les pieds de la chaise pendant 20 secondes.

3. Relâchez brièvement.

➤ Faites l'exercice quatre fois en tout.

Haut les genoux !

Cet exercice, qui fait travailler l'ensemble du corps et l'assouplit, stimule aussi les deux hémisphères cérébraux, améliore le sens de l'équilibre et approfondit la respiration. Le cerveau et l'ensemble de l'organisme font le plein d'énergie.

1. Debout, les jambes jointes.

2. Montez la jambe droite fléchie vers la poitrine en levant le bras gauche au-dessus de la tête.

3. Faites ensuite l'inverse : amenez la jambe gauche fléchie contre la poitrine et levez le bras droit.

➤ Alternez ainsi pendant deux minutes. Pour que l'énergie circule de façon optimale, gardez

Le petit plus

COUP DE FOUET ÉPICÉ

Si le jus d'orange est la boisson de prédilection des battantes, vous pouvez l'améliorer encore avec une pointe de piment ou de noix de muscade. En effet, ces deux épices ne se contentent pas de relever la saveur d'un mets, elles sont aussi bonnes pour la santé : ainsi, le piment contient de la capsaïcine, substance qui dope le métabolisme, tandis que la noix de muscade renferme du safrol qui stimule la circulation et favorise la bonne humeur. Pour préparer une boisson bien tonique :

➤ Pressez des oranges ou, si vous n'avez pas le temps, prenez un bon jus du commerce, remplissez un verre de 20 cl, puis ajoutez une pincée de piment ou de muscade en poudre. Remuez bien à la cuillère, c'est prêt !

le dos bien droit et la tête dans le prolongement de la colonne vertébrale, comme si vous étiez tenue par un fil invisible.

Raffermissement des cuisses et coup de fouet épicé

Si de bon matin, vous avez déjà de l'énergie à revendre, cet exercice pour les cuisses vous convient parfaitement. Faites-le dans la cuisine, ce qui vous permet de préparer en même temps votre coup de fouet épicé.

1. Debout, tenez-vous latéralement de la main gauche à la poignée ou à l'encadrement d'une porte, ou encore à un placard.

2. Balancez maintenant vigoureusement la jambe droite d'avant en arrière pendant une minute, de façon à ressentir un léger étirement de la cuisse.

3. Retournez-vous pour changer de côté et balancez la jambe gauche de la même façon.

30 Minutes pour les jouisseuses

C'est juste le temps qu'il vous faut pour commencer la journée par une dose supplémentaire de joie de vivre

Démarrez bien la journée en vous adressant un beau sourire à vous-même au réveil et en faisant un peu de gymnastique douce. Le fait de bouger votre corps l'incite en effet à produire des hormones euphorisantes. En choisissant bien vos exercices, vous serez de bonne humeur et resterez en pleine forme.

Détendez-vous
et faites-vous plaisir

Vous n'arrêtez pas, vous êtes active en permanence. Vous avez mille choses en tête, vous enchaînez les activités sans répit. Stop ! Aujourd'hui, ce n'est pas pareil : c'est dimanche. Et le dimanche, que vous soyez seule ou à deux, vous avez envie de vous faire plaisir, et surtout de prendre votre temps : le temps de faire la grasse matinée, le temps de vous lever tranquillement, le temps de vous préparer un bon milk-shake, le temps de faire votre gymnastique.

Contre le stress, faites une pause !

Une fois par semaine, ralentissez le rythme. Sinon, le piège du stress pourrait se refermer sur vous, ce qui est très mauvais pour la santé : la tension artérielle monte, et la circulation se fait plus difficile, provoquant vertiges, maux de tête et douleurs d'estomac.

En outre, si vous êtes constamment sous pression, les radicaux libres redoublent de vigueur. Ces substances très actives sont dérivées des processus d'oxydation qui se déroulent dans l'organisme. Nous avons, certes, besoin d'une certaine quantité de radicaux libres pour éliminer virus et bactéries, mais si notre organisme en produit trop, leurs actions ne sont plus ciblées et le risque de tomber malade augmente.

Le stress se lit sur le visage

Le stress permanent laisse également des traces sur notre visage : notre teint devient blafard, notre regard est agité, des rides apparaissent. Une tension physique et psychique prolongée raidit, en outre, l'ensemble de nos muscles. Alors efforcez-vous de trouver un équilibre. Prévoyez régulièrement des journées de repos et notez-les dans votre agenda. Commencez ces journées libres en douceur, par 30 minutes de gymnastique (la séance démarre d'ailleurs... au lit !) et appréciez en toute détente cette action entreprise pour votre équilibre interne.

Gym tonique :
tonus
et équilibre

Avant d'attaquer votre séance

➤ Il vous faut un tapis de gymnastique ou deux couvertures de laine, cinq gros livres, une chaise, une table, un lecteur de CD et vos disques préférés pour danser. Prévoyez également 10 cl de jus d'orange, 15 cl de babeurre, une demi-banane et une cuillerée à soupe d'amandes en poudre.

Échauffement

Pour votre séance de gym plaisir, ne vous contentez pas d'inspirer, mais expirez aussi toujours à fond. Cela détend le corps et permet d'éliminer les tensions profondes. Essayez dès la séquence d'échauffement, pour laquelle vous pouvez même rester au lit.

1. Roulez la couette sous vos genoux pour soulager vos lombaires, puis posez cinq gros livres sur votre ventre.

2. Fermez les yeux. Inspirez et expirez en sentant le poids des livres sur votre ventre.

3. Retirez ensuite lentement un livre après l'autre, en respirant à chaque fois à fond et très consciemment.

➤ Consacrez une minute à cet exercice.

4. Stimulez maintenant un peu votre circulation. Retirez la couette de sous vos genoux. Étirez bien votre corps, restez un court moment ainsi, le corps bien tendu, puis relâchez et appréciez la détente.

5. Soulevez ensuite les bras et les jambes comme une tortue qui reposerait sur le dos. Secouez vos membres, lentement au début, puis de plus en plus vite. Faites-le pendant deux minutes.

La cueillette des pommes

Vous n'êtes pas encore tout à fait réveillée ? Cela ne fait rien, rêvez encore un peu. Pour cet étirement complet de votre corps, vous allez faire une petite escapade à la campagne. Il vous faut cependant vous lever.

1. Debout, les pieds écartés de la largeur des épaules, laissez vos bras ballants et fermez les yeux.

2. Imaginez que vous êtes dans un champ. Vous sentez la chaleur du soleil sur votre peau et l'humidité de l'herbe sous vos pieds.

3. Dans ce champ se trouve un pommier qui porte une multitude de beaux fruits rouges. Vous allez maintenant essayer d'en cueillir quelques-uns. Pour cela, montez sur la pointe des pieds.

4. Tendez alternativement le bras gauche puis le bras droit à la verticale et essayez d'attraper ces belles pommes.

➤ Cueillez ces pommes imaginaires pendant trois minutes.

2. Levez les jambes à la verticale et croisez les pieds. Soulevez légèrement le bassin du sol et comptez jusqu'à 15. Sentez-vous une tension dans le ventre ? Ce sont vos abdominaux qui travaillent !

3. Reposez lentement le bassin au sol.

➤ Poursuivez ce travail pendant trois minutes, en inspirant lorsque vous soulevez le bassin et en expirant lorsque vous l'abaissez.

Un ventre ferme

Vous trouvez que votre ventre est un peu flapi ? Donnez-lui un coup de main ! Voici un exercice qui va renforcer la partie inférieure de votre abdomen.

1. Allongez-vous sur le dos sur le tapis de gymnastique, les bras de chaque côté du corps, la paume des mains à plat sur le sol.

Le yoga des pieds

Les pieds sont en liaison directe avec les hormones du bien-être. En effet, la plante des pieds compte de nombreuses terminaisons nerveuses reliées aux organes vitaux. Ce yoga des pieds, en quatre étapes, que nous vous proposons maintenant va, d'une part, stimuler ces terminaisons nerveuses, et d'autre part, travailler la souplesse de vos jambes et de vos pieds.

1. Allongez-vous sur le dos, les jambes tendues.

2. Pointez fermement les orteils vers le sol, comptez jusqu'à 10, puis relâchez. Recommencez quatre fois.

3. Recroquevillez maintenant les orteils comme si vous vouliez tenir un crayon. Comptez jusqu'à 10, puis relâchez. Recommencez quatre fois.

4. Enfoncez maintenant les talons dans le sol et pointez les orteils vers vous. Comptez jusqu'à 10, puis relâchez. Recommencez quatre fois.

5. Asseyez-vous le dos droit. Pliez les jambes et appuyez les plantes des pieds l'une contre l'autre. Saisissez les pieds avec les mains. Pressez fermement les plantes des pieds l'une contre l'autre. Comptez jusqu'à 10 puis relâchez. Recommencez quatre fois.

Oiseau, vole !

Vous apprécierez le fait d'avoir de jolies épaules, notamment en été, lorsque revient la mode des débardeurs. Préparez-vous donc à l'avance pour pouvoir les exhiber sans complexe, d'autant que ces étirements sont excellents pour éliminer les tensions et muscler toute la zone des épaules.

1. Asseyez-vous en tailleur, le dos bien droit.

2. Tendez les bras à l'horizontale de chaque côté, à hauteur des épaules, puis pivotez lentement le buste vers la droite, puis vers la gauche, en tournant à partir de la taille.

3. Accompagnez la torsion avec la tête. Poursuivez l'exercice pendant trois minutes.

Le guetteur

Voici une posture qui, par votre simple poids, fait travailler simultanément les principaux muscles de votre corps, de la tête aux pieds. Bien sûr, elle n'est pas de tout repos.

1. Allongez-vous sur le ventre sur votre tapis. Pliez les bras à hauteur des épaules en posant les avant-bras et la paume des mains à plat sur le sol. Retournez les orteils.

2. Soulevez lentement le corps en laissant reposer le poids sur les avant-bras et la pointe des orteils. Le dos reste bien droit, la tête dans le prolongement de la colonne vertébrale, le menton légèrement rentré, la nuque bien étirée. Comptez jusqu'à 10.

3. Reposez lentement le corps au sol et relâchez les avant-bras.

➤ Recommencez à votre propre rythme pendant trois minutes en tout.

Gym oculaire

Jour après jour, du matin au soir, vos yeux vous communiquent des milliers d'images. Il est grand temps de faire, à votre tour, quelque chose pour eux. Voici un exercice pour entretenir la souplesse de vos muscles oculaires.

1. Asseyez-vous sur une chaise, le dos bien droit.

2. Imaginez qu'une corde invisible relie la pointe de votre nez à la table de la salle à manger, puis à la grosse plante verte, à la chaîne hi-fi, à la bibliothèque, puis que cette corde passe par la fenêtre pour atteindre un arbre dans le jardin.

3. « Sautez » maintenant avec les yeux le long de cette corde imaginaire : de la pointe du nez à la table, puis à la plante, à la chaîne hi-fi, à la bibliothèque, à la fenêtre et enfin à l'arbre. Refaites ensuite ce parcours en sens inverse. Comptez trois minutes en tout.

Gym de table

Vous avez souvent des courbatures ? Une seule solution : faites régulièrement des exercices pour vous muscler. Commencez tout de suite par renforcer les muscles des bras, des jambes et des épaules.

1. Mettez-vous debout, dos à une table, et posez les mains sur la table.

2. Fléchissez très lentement les genoux.

3. Remontez tout aussi lentement. Sentez-vous le travail musculaire ?

➤ Faites 15 flexions consécutives puis relâchez brièvement et recommencez une série de 15.

Gym en musique

Et maintenant, dansez ! disco, salsa, reggae, rock'n roll ou valse viennoise, peu importe. Tous ces rythmes vous font travailler les jambes, vous donnent des ailes et stimulent votre circulation.

1. Mettez votre disque préféré.

2. Fermez les yeux un instant puis laissez votre corps bouger de lui-même, entraîné par la musique.

➤ Dansez ainsi pendant trois minutes sans vous arrêter.

Le petit plus

MILK-SHAKE FORME ET BIEN-ÊTRE

Voici une boisson matinale, tout simplement délicieuse, qui renferme en outre quantité de vitamines et de minéraux. De plus, la banane active la sérotonine, hormone euphorisante produite par l'organisme. Si vous avez une intolérance au lait de vache, sachez enfin que vous pouvez remplacer le babeurre par du lait de soja non sucré.

➤ Mettez 10 cl de jus d'orange, 15 cl de babeurre, une demi-banane et une cuillerée à soupe d'amandes en poudre dans le bol d'un robot ménager, puis mixez le tout.

Versez la boisson dans un joli verre, posez-le sur la table. Buvez votre cocktail lentement, à petites gorgées, laissez-le en quelque sorte pénétrer doucement dans votre palais. Fermez les yeux et savourez pleinement ce plaisir.

Lifting de la poitrine et milk-shake aux fruits

Ce lifting ne vous donnera certes pas une poitrine plus opulente, ni plus petite, mais elle tonifie nettement les seins et leur donne un bon maintien. Et ce, sans crème hors de prix. Il est en outre absolument dépourvu d'effets secondaires.

Comme vous vous sentirez ensuite vraiment bien, accordez-vous un petit plaisir supplémentaire, et dégustez un délicieux

milk-shake aux fruits. Vous serez alors dans une forme éblouissante pour toute la journée.

1. Asseyez-vous dans la cuisine sur une chaise, le dos bien droit. Saisissez votre poignet droit avec la main gauche, et inversement.

2. Levez les bras à hauteur des épaules et « repoussez » fermement la peau des poignets vers les coudes.

➤ Recommencez 15 fois, puis faites une courte pause. Faites trois séries en tout.

Informations utiles

À propos de l'auteur

Née en 1955, Tushita M. Jeanmaire vit à Zurich. Cette thérapeute, qui est aussi l'auteur de plusieurs ouvrages, est chargée des rubriques Forme, Bien-être ainsi que Corps et Mental dans la revue suisse « Annabelle ». Son dernier livre est paru en 1999. Formée à la thérapie par le souffle, au travail énergétique et au travail corporel, Tushita Jeanmaire exerce depuis 1986 le métier de « coach » particulier. Sa méthode met notamment l'accent sur le lien entre la spiritualité et le quotidien, les relations, la sexualité et la gestion du stress.

Remerciements

Je tiens à remercier tout particulièrement Hans-Curt Flemming qui m'accompagne depuis près de vingt ans et qui a éveillé en moi la passion de l'écriture. Il m'a également formée aux outils et techniques nécessaires pour mener à bien mes projets et m'a soutenue dans mes entreprises créatives de petite et grande envergure.

Avertissement

Les conseils promulgués dans cet ouvrage ont été sérieusement étudiés et ont fait leurs preuves dans la pratique. Néanmoins libre aux lectrices et lecteurs de décider s'ils souhaitent les suivre ou non, et si oui dans quelle mesure. L'auteur et l'éditeur ne sauraient en aucun cas être tenus responsables des résultats.

Crédits photos

Photographe : Martin Wagenhan
Maquette : Susa Lichtenstein
Autres photos
Pages 17, 44 : Manfred Jahreiß
pages 37, 45 : Reiner Schmitz

Nous remercions par ailleurs le magasin Karstadt Sport de Munich qui a gentiment mis à notre disposition les équipements sportifs dont nous avions besoin.

Traduction française de Ghislaine Tamisier

Pour l'édition originale, parue sous le titre Wake up !.

© 2002, Gräfe und Unzer Verlag Gmbh, Munich.

Pour la présente édition :
© 2004, Éditions Vigot – 23, rue de l'École-de-Médecine, 75006, Paris, France.
Dépôt légal : mars 2004 – ISBN 2-7114-1648-8
Mise en page : FACOMPO – Lisieux.
Imprimé en France par Pollina – L92299 C

A NOTE TO PARENTS

Disney's **First Readers Level 2** books were created for beginning readers who are gaining confidence in their early reading skills.

Compared to Level 1 books, **Level 2** books have slightly smaller type and contain more words to a page. Although sentence structure is still simple, the stories are slightly longer and more complex.

Just as children need training wheels when learning to ride a bicycle, they need the support of a good model when learning to read. Every time your child sees that you enjoy reading, whether alone or with him or her, you provide the encouragement needed to build reading confidence. Here are some helpful hints to use with the **Disney's First Readers Level 2** books:

★ Play or act out each character's words. Change your voice to indicate which character is speaking. As your child becomes comfortable with the printed text, he or she can take a favorite character's part and read those passages.

★ Have your child try reading the story. If your child asks about a word, do not interrupt the flow of reading to make him or her sound it out. Pronounce the word for your child. If, however, he or she begins to sound it out, be gently encouraging—your child is developing phonetic skills!

★ Read aloud. It's still important at this level to read to your child. With your child watching, move a finger smoothly along the text. Do not stop at each word. Change the tone of your voice to indicate punctuation marks, such as questions and exclamations. Your child will begin to notice how words and punctuation marks make sense and can make reading fun.

★ Let your child ask you questions about the story. This will help to develop your child's critical thinking skills. Use the After-Reading Fun activities provided at the end of each book as a fun exercise to further enhance your child's reading skills.

★ Praise all reading efforts warmly and often!

Remember that early-reading experiences that you share with your child can help him or her to become a confident and successful reader later on!

— Patricia Koppman
Past President
International Reading Association

For Jacqui, Howie, and Sharon
—J. K.

First published by Disney Press, New York, New York.
This edition published by Scholastic Inc.,
90 Old Sherman Turnpike, Danbury, Connecticut 06816
by arrangement with Disney Licensed Publishing.

SCHOLASTIC and associated logos are trademarks of Scholastic Inc.

ISBN 0-7172-6463-7

Printed in the U.S.A.

Howdy, Sheriff Woody!

by Judy Katschke

Illustrated by
the storybook artists
at Disney Publishing
Creative Development

Disney's First Readers — Level 2
A Story from Disney/Pixar's *Toy Story 2*

★★

SCHOLASTIC INC.

New York   Toronto   London   Auckland   Sydney
Mexico City   New Delhi   Hong Kong   Buenos Aires

One day Woody walked into a strange town.

"Hmm," Woody said. "Looks like this town needs a sheriff!"

Woody hopped onto a bucket.
He yelled in his best cowboy voice:
"Howdy, strangers! I'm your new
sheriff, Woody!"

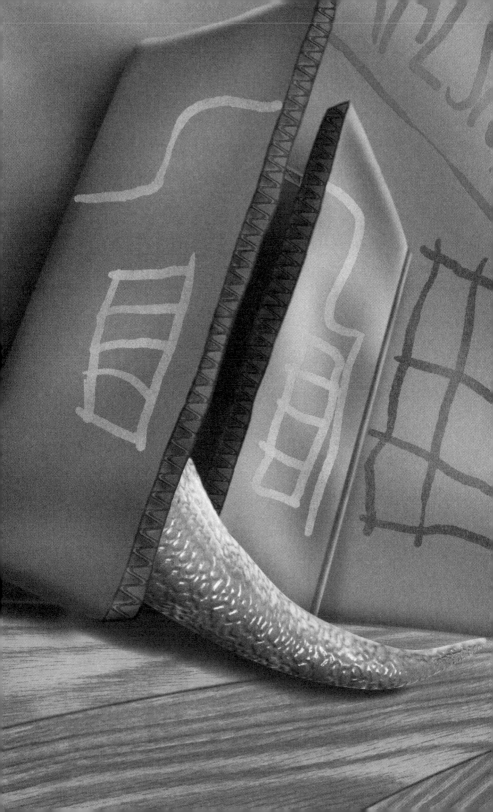

Sheriff Woody checked out the town. It was strange . . .

"Hoo-eee!" Woody cried. "That is the biggest armadillo I ever saw!"

"That is no armadillo!" Woody said.
"It's a dinosaur!"
"Did I scare you?" Rex asked.

Woody saw a cowboy boot.
It shook like a possum with
the hiccups!
   "Whoa!" Woody cried. "There's a
snake in that boot!"

But there was no snake in that boot!
It was just Green Army Men!

"Moving out of boot camp,
Sheriff!" Sarge called.
"Move! Move! Move!"

Then, Woody saw the strangest
thing of all . . .

"Uh-oh!" Woody cried. "It looks like
a twister!"

"It's not a twister!" Jessie said.
"It's me! And I am faster than a
spinning top!
Let's see you top
that!"she said to
the sheriff.

Woody liked this new town.
It had a store.
It had a school.
It even had a bank!
"That's me!" said Hamm.

Woody heard a sound.
Someone was
coming!

"Outlaws!" Hamm cried.
"Bandits!" Rex roared.
"Invaders!" the alien shivered.
"SPELL THE WORD HELP!!!"
Mr. Spell said.

Woody looked at his badge.
It was his job to protect the town!

"Don't worry, folks!" Woody said.
"I'll show them what we're made of!"
"I think it's plastic," said Rex.

Woody was ready.
He stepped into the
dusty street.
"I wish I were that brave!"
Rex said.

The sound got louder and louder.
Woody's heart beat faster and faster.

But just as Woody was about to draw,
the stranger rode into town . . .

"Greetings! We come in peace!"
It was Buzz Lightyear and Bullseye!

Sheriff Woody smiled from ear to ear.
"There are no strangers in this town!"
he said. "Only friends!"

AFTER-READING FUN

Enhance the reading experience with follow-up questions to help your child develop reading comprehension and increase his/her awareness of words.

Approach this with a sense of play. Make a game of having your child answer the questions. You do not need to ask all the questions at one time. Let these questions be fun discussions rather than a test. If your child doesn't have instant recall, encourage him/her to look back into the book to "research" the answers. You'll be modeling what good readers do and, at the same time, forging a sharing bond with your child.

Howdy, Sheriff Woody!

1. Why did Woody think he saw a big armadillo?

2. What did Woody think was in the shaking boot?

3. What was actually inside the boot?

4. What is a twister?

5. Why did Woody like the town?

6. What made Woody's heart beat faster and faster?

Answers: 1. he saw a huge green tail like that of an armadillo. **2.** a snake. **3.** Green Army Men. **4.** a tornado; a violent windstorm that has a funnel-shaped cloud. **5.** it had a store, a school, and a bank. **6.** he was frightened by the strange sound.